TOM
ET LE SECRET DU
HAUNTED CASTLE

Tip TONGUE

DES ROMANS QUI PASSENT PETIT À PETIT EN ANGLAIS

La fiction au service de l'innovation pédagogique

La collection Tip Tongue a obtenu en 2015 le Label européen des langues, récompensant des projets pédagogiques d'excellence en matière d'apprentissage et d'enseignement innovants des langues étrangères.

3 leviers inédits et efficaces pour apprendre une langue étrangère:

• **le plaisir :** celui de lire une excellente histoire,
• **l'immersion :** celle du héros, et par identification, celle du lecteur,
• **la confiance en soi :** les personnages mettent en œuvre toutes sortes de stratégies pour communiquer, de façon naturelle et décomplexée.

Tip Tongue, c'est aussi un site Internet

www.tiptongue.u-bordeaux-montaigne.fr

Ce site propose des lexiques illustrés, des exercices de compréhension, des jeux...

(site réalisé par l'UFR Langues et civilisations étrangères de l'université Bordeaux-Montaigne).

***Tip Tongue se décline en plusieurs langues
(anglais, espagnol, allemand) et pour tous les âges***

- À partir de 8-9 ans (CE2-CM1)
- À partir de 10-11 ans (CM2-6e)
- À partir de 12-13 ans (5e-4e)
- À partir de 14-15 ans (3e-2nde)

Chaque roman correspond à un niveau cible du **CECRL** (niveau européen de référence).

Découvrez les titres Tip Tongue en audio-book

Chaque titre offre une version intégrale audio téléchargeable.

MP3 ⬇
VERSION AUDIO
GRATUITE

http://tiptongue.syros.fr

Label européen des langues

Tip Tongue a obtenu en 2015 le Label européen des langues,
récompensant des projets pédagogiques d'excellence en matière
d'apprentissage et d'enseignement innovants des langues étrangères.

En partenariat avec l'UFR Langues et Civilisations
Université Bordeaux-Montaigne.

www.tiptongue.u-bordeaux-montaigne.fr

Illustrations de Julien Castanié

ISBN : 978-2-74-851543-5
© 2014 Éditions SYROS, Sejer,
25, avenue Pierre-de-Coubertin, 75013 Paris

STÉPHANIE BENSON

TOM
ET LE SECRET DU
HAUNTED CASTLE

SYROS

Chapter One

RENTING A CAR

Tom regarda avec désespoir l'hôtesse de la compagnie de location de voitures qui disait à son père pour la troisième fois :

– I'm sorry, Mr Pereira, but we don't have a reservation in your name.

Au bout de trois fois, Tom avait fini par comprendre « sorry » qui, il le savait, signifiait « désolé » en anglais, « Mr Pereira » – c'était son père ! –, et « reservation » qui ressemblait beaucoup au français et voulait dire la même chose.

Apparemment, il y avait un problème avec la réservation de la voiture de location, vu la tête de l'hôtesse – et celle de son père.

– Okay, dit celui-ci en faisant visiblement un effort pour garder son calme. Just let me rent a car.

« Rent a car », Tom connaissait. « Louer une voiture. » Il y avait même une société de location de voitures qui s'appelait *Rent-a-car*, il l'avait vu sur les panneaux dans l'aéroport. Son père voulait simplement (« just ») louer une voiture.

La femme consulta de nouveau l'écran de son ordinateur. Tom avait froid et il était fatigué. Il ne s'était pas attendu à un tel écart de température. Un vent glacé semblait souffler directement du pôle Nord.

Tom avait été plutôt séduit par l'idée de son père de venir passer Noël dans un château hanté en Écosse. Il avait imaginé de grandes cheminées bourrées de bûches autour desquelles les pensionnaires racontaient des histoires de fantômes. Il s'était vu frissonner de peur, pas de froid !

– I've only got one car left, déclara l'hôtesse au bout d'un moment. It's a small one. Will that do?

– Yes, that'll be fine, répondit le père de Tom.

– Qu'est-ce qu'elle a dit ? demanda Tom, ne voulant pas rester en dehors de la négociation.

– Qu'il ne lui reste qu'une voiture, expliqua son père. Elle m'a demandé si ça irait, j'ai répondu que oui, ça irait parfaitement.

– C'est une petite voiture, non ? demanda Tom, ravi d'avoir compris une partie de la conversation. Ce n'est pas ce qu'elle a dit ?

– C'est exactement ce qu'elle a dit, répondit son père avec un sourire. Tu vois, tu n'as pas à t'inquiéter. Tu comprends très bien.

Tom n'en était pas aussi certain. Il aurait aimé parler anglais aussi bien que son père.

– Le secret, c'est de ne pas essayer de tout comprendre, poursuivit le père de Tom. C'est comme quand on est petit. On ne comprend pas tout ce que disent les adultes mais, à force d'entendre des mots, on devine leur signification.

Puis on apprend à conjuguer les verbes et à accorder les adjectifs – en tout cas en français, parce qu'en anglais on n'accorde pas les adjectifs –, et pendant tout ce temps, on enrichit notre vocabulaire avec de nouveaux mots et on en vient à maîtriser notre langue maternelle. Avec une langue étrangère, c'est la même chose. On apprend des mots, comme quand on était bébé, sauf que ça va un peu plus vite, parce qu'on a déjà compris comment marche notre propre langue. Et souvent, on peut deviner. Les gens parlent aussi avec leurs mains, avec des grimaces et en mimant les mots. Et puis, un jour, tu te diras, bon, je me débrouille en anglais.

– J'aimerais bien, soupira Tom.

– Ne sois pas trop pressé, sourit son père. Tu ne vas pas maîtriser l'anglais en à peine deux ans !

Tom se dit qu'il comprenait sans doute autant d'anglais qu'un enfant de deux ans. C'était rassurant.

– Here you are, dit l'hôtesse en tendant au père de Tom son contrat de location. This is your rental contract. If you have any problems, just call this number.

Elle montra un numéro de téléphone, et Tom avait compris « problems ». Hé oui, en cas de problème, appeler ce numéro. En fait, l'anglais, c'était facile !

– Thank you, répondit son père en empochant le tout.

– Your car's in bay number four, précisa l'hôtesse.

Le vent soufflait toujours lorsqu'ils traversèrent le parking en quête de la place numéro quatre, comme indiqué par l'hôtesse. Le père de Tom ouvrit le coffre, y rangea leurs deux valises, puis se mit au volant. Il alluma le GPS et entra l'adresse : *Airth, Falkirk FK2, United Kingdom*. Il attendit que la connexion se fasse, puis une voix de femme ordonna :

– Take the second exit at the next round-about.

– Second? lui demanda son père en démarrant. C'est comme en français.

– Second? proposa Tom.

– Bravo. The next roundabout?

– Le prochain rond-point? suggéra Tom en voyant un rond-point s'afficher sur l'écran du GPS.

– Parfait. Tu vois, c'est facile.

En tout cas, se dit Tom – tandis que son père, grâce au GPS, s'engageait sur l'autoroute en direction de Stirling –, il allait devenir imbattable en vocabulaire d'orientation. Turn left in two hundred meters, turn right now, take the first exit...

Chapter Two

THE GHOSTS OF THE HAUNTED CASTLE

Le jour déclinait quand le château d'Airth se présenta enfin au bout d'une longue allée bordée par une forêt. C'était un immense bâtiment avec deux tours rondes et crénelées à chaque extrémité, et une tour carrée au centre. Le père de Tom suivit les flèches marquées *Car Park* pour garer la voiture à l'arrière. Puis ils suivirent à pied les panneaux *Hotel Entrance* pour trouver l'entrée de l'hôtel. Il faisait toujours aussi froid, et le ciel était lourd, bas et couleur de plomb.

L'intérieur du château correspondait aux rêves de confort de Tom. Il faisait chaud, et il voyait un feu brûler dans une cheminée.

– Good evening, Sir, dit un homme à l'accueil dès qu'ils entrèrent avec leurs valises. I'm the hotel manager.

– Good evening, répondit le père de Tom.

– Do you have a reservation, Sir? demanda le directeur en s'approchant d'un écran d'ordinateur.

– Yes, two rooms.

– And your name is?

– Pereira, dit le père de Tom. Nicolas and Tom Pereira.

Le directeur consulta son écran, puis leva les yeux vers eux.

– That's right. Two rooms for six nights. Rooms thirty-three and twenty-nine. The haunted ones. Are you ghost hunting?

Cette dernière question était adressée à Tom, qui ne la comprit pas. Il avait traduit « rooms » qui voulait dire « chambres » et les numéros trente-trois et vingt-neuf, mais il s'était perdu après cela.

— Il te demande si tu es venu chasser des fantômes, dit le père de Tom. C'est parce que j'ai réservé des chambres qui sont censées être hantées.

Ce détail-là, Tom l'ignorait jusqu'alors. Même s'il ne croyait pas aux fantômes, il n'était pas certain de vouloir dormir dans une chambre hantée.

— Non, dit-il pour répondre à la question du directeur.

— You're not frightened? demanda le directeur.

— Frightened? s'interrogea Tom en se tournant vers son père.

— Tu n'as pas peur ?

— No, I not frightened, dit Tom, et le directeur sourit tandis que son père chuchotait « I'm » pour corriger sa phrase.

— Well, if you like ghosts, you've come to the perfect place, dit le directeur sans relever la faute.

– Si tu aimes les fantômes, tu es venu au bon endroit, traduisit le père de Tom.

– And later this evening, Mr McKenzie, our chief gardener, will tell the tale of the ghost nanny, poursuivit le directeur.

– Et ce soir, le jardinier en chef nous racontera l'histoire de la gouvernante fantôme, dit son père.

– Génial, répondit Tom.

Tant que les fantômes restaient dans des histoires, ça lui allait très bien.

– Your rooms are both on the second floor, dit le directeur au père de Tom. You can take the lift, and when you get to the second floor, you turn left, and the rooms are on the right-hand side.

Tom ne connaissait pas le mot pour « ascenseur », mais comme le directeur avait dit « lift » en montrant l'ascenseur, c'était facile à deviner. Il avait appris « left » et « right » grâce au GPS. En gros, se dit-il, on sort de l'ascenseur au deuxième étage, on tourne à gauche, et les deux chambres sont sur la droite. Son père avait raison, l'anglais n'était pas si difficile, une fois qu'on arrêtait de vouloir comprendre chaque mot.

– Tu préfères quelle chambre ? demanda son père tandis qu'ils sortaient de l'ascenseur.

– La première, répondit Tom aussitôt en se disant qu'en cas de visite de fantôme, il se sentirait plus en sécurité près de l'ascenseur.

Le père et le fils prirent le couloir de gauche. La première chambre était la vingt-neuf, et le père de Tom se retrouva donc deux chambres plus loin, dans la trente-trois.

– Et regarde ! s'exclama son père. Tu es juste à côté de la bibliothèque.

En effet, en avançant de quelques pas, Tom put voir une grande pièce tapissée de bois et de livres. De grands fauteuils de cuir étaient disposés ici et là, près de petites tables sur lesquelles d'autres livres attendaient des lecteurs. Un feu d'énormes bûches brûlait dans une immense cheminée. Le bonheur !

– Tu défais ta valise ? proposa son père. Je reviens dans dix minutes.

Tom avait à peine fini de ranger ses affaires dans la penderie et d'essayer les différentes chaînes de la télévision que son père frappa à la porte. Tom lui ouvrit.

– Tout va bien ? s'enquit le père de Tom, les mains derrière le dos.

Celui-ci hocha la tête.

– Alors, tiens. Ce n'est pas encore Noël, mais ceci pourra faciliter ton séjour en Écosse, dit-il en mettant entre les mains de Tom un boîtier en plastique qui ressemblait à une calculatrice. C'est un traducteur électronique, précisa-t-il. Tu entres un mot, même en phonétique, et il te donne l'orthographe correcte et la traduction. Il peut aussi traduire des phrases.

– Comme ça, j'arrêterai de te demander des trucs tout le temps, c'est ça ? dit Tom avec un sourire.

– Comme ça, tu seras surtout en mesure de suivre l'histoire de fantômes ce soir, répondit son père. Ça ne t'empêche pas de continuer de poser des questions. Ce n'est pas un problème. Et voici un cahier pour que tu puisses noter tous les mots nouveaux que tu apprendras en anglais.

Ils descendirent au restaurant pour le dîner. Tom mangea un steak (« rump steak ») avec des frites (« chips ») et de la salade (pareil, mais sans le « e » final), et un cheesecake aux myrtilles (« blueberry cheesecake »), puis, le ventre bien rempli, il se dirigea aux côtés de son père vers la bibliothèque pour écouter l'histoire de la gouvernante fantôme.

Robert McKenzie se tenait debout, appuyé contre la cheminée. Dès que les convives se furent installés et sans regarder personne, il commença à parler d'une voix grave et lente :

– It was a winter's night.

Tom tapa les deux derniers mots sur son traducteur qui afficha : « nuit d'hiver ».

– Shona McAlistair, the nanny, had taken the children skating on the lake.

... « la gouvernante »... « les enfants patiner sur le lac ».

– Flora, eight years old, and Miles, twelve.

Pas besoin de traducteur, Tom avait compris l'âge des deux enfants.

– What happened on the lake, nobody will ever know.

« Ce qui s'est passé »... « personne ne saura jamais »...

– But Shona McAlistair came back alone.

« Revint seule »...

– She walked up the stairs to the fourth floor of the tower.

« Elle monta l'escalier »...

– And jumped to her death.

« Et sauta à sa mort ». Ça ne veut pas dire grand-chose, pensa Tom, mais il avait compris que la gouvernante s'était jetée du quatrième étage de la tour.

– The children were never found, poursuivit Robert McKenzie.

« Jamais trouvés ». Jamais retrouvés, plutôt. « Les enfants ». Quelle horreur !

– But since 1649, Shona McAlistair haunts the corridors of this castle, calling for Flora and Miles to return, as if she had some terrible crime on her conscience.

« Appelant Flora et Miles à revenir »... « crime terrible sur sa conscience ».

Tom frissonna. Il était fatigué, mais après une telle histoire, il n'était pas certain de parvenir à dormir, aussi il regagna sa chambre avec une certaine appréhension. Pourvu que Shona McAlistair ne vienne pas lui rendre visite !

Chapter Three

A GHOST IN THE NIGHT

Comme il l'avait craint, Tom n'arrivait pas à dormir, malgré sa fatigue. Chaque fois qu'il fermait les yeux, il voyait Flora and Miles, les enfants de la légende, noyés par l'imprudence de la gouvernante, qui le suppliaient de les sauver.

Il alluma la télévision et tenta de suivre un film en anglais intitulé *In a Dark Place*, mais les dialogues des acteurs étaient trop rapides, et l'action – située dans un vieux manoir anglais – ne semblait aller nulle part.

Il entendit le bruit après avoir éteint le film, mais sans doute se produisait-il depuis un certain temps. Une sorte de grattement irrégulier qui paraissait venir de la penderie où il avait rangé ses vêtements quelques heures plus tôt.

Tom se leva. Il n'était pas plus courageux qu'un autre, mais il savait parfaitement que s'il n'ouvrait pas le placard, il ne dormirait pas de la nuit. Derrière les portes de bois, ses vêtements, eux, dormaient très bien. Il fut sur le point de refermer la penderie en se disant qu'il avait imaginé le bruit, quand le grattement reprit, plus fort que tout à l'heure. Cela semblait provenir de derrière le panneau du fond.

Tom frappa deux coups avec son poing contre le fond du placard.

Le grattement s'interrompit. Il répéta son geste. Il n'entendit rien pour commencer, puis deux coups secs répondirent aux siens. Tom frappa deux coups encore, deux coups lui répondirent.

Soudain, Tom se souvint que le mur de sa chambre était mitoyen avec la bibliothèque.

Poussé par une soudaine envie de comprendre, il sortit de sa chambre et alla sur la pointe des pieds jusqu'à la pièce voisine.

Les lampes étaient éteintes, mais l'éclairage extérieur baignait la pièce d'une lumière orangée. Pour commencer, Tom ne vit personne, puis il remarqua une petite ombre accroupie dans un coin de la cheminée. Il fit quelques pas en avant, l'ombre ne bougea pas.

C'était une forme humaine qui collait l'oreille contre la paroi en pierre comme si elle écoutait. Tom s'approcha plus encore. Il chuchota :

— Psst !

L'ombre se redressa dans un sursaut, se cogna la tête contre le linteau de la cheminée, laissa échapper un juron, puis se tourna vers Tom.

— Who are you? What are you doing here?

Tom se dit que la fille – parce qu'il voyait à présent que c'était une fille – avait dû se faire vraiment mal en se relevant. Du coup, elle avait posé les premières questions qui lui venaient à l'esprit. Parce que, logiquement, c'était lui qui aurait dû demander qui elle était et ce qu'elle faisait là, à gratter le mur et à l'empêcher de dormir.

— Who are you? répéta la fille en se frottant le haut du crâne.

— My name's Tom, dit Tom en se rappelant ses premiers cours d'anglais. Who are you?

— I'm Akira McKenzie, dit-elle doucement. Robert McKenzie's daughter. I live here.

Ainsi, la jeune fille rousse — parce qu'il voyait à présent la couleur de ses cheveux — était la fille du conteur de légendes.

— And what are you doing? demanda Tom en reprenant la deuxième question d'Akira.

— No, you first, dit-elle. What are *you* doing here?

Tom avait laissé son traducteur électronique dans sa chambre. Il allait devoir se débrouiller sans.

— My room is there, dit-il en indiquant le mur mitoyen.

Akira hocha la tête.

– Oh, okay. You're in room twenty-nine. Are you the one who knocked?

– Knocked? demanda Tom.

Akira frappa trois coups sur la pierre de la cheminée et répéta :

– Knocked. That was you?

Tom hocha la tête, et Akira sembla immédiatement triste :

– I thought it was my brother.

« Think, thought », verbe irrégulier, se rappela Tom. « Penser ». Akira avait cru que les coups étaient frappés par son frère. Mais il était où, dans ce cas, son frère ? Derrière la cheminée ?

– Where is your brother? demanda Tom en fronçant les sourcils.

– I don't know. That's the problem. I'm trying to find him, répondit la jeune fille.

Tom avait compris la première phrase, mais pas la fin. Il leva la main.

– Stop! Speak slowly. I'm French.

Akira soupira.

– Oh, it doesn't matter, dit-elle.

Mais la curiosité de Tom était piquée.

– Yes, it matters, he said.

– I'm trying to find my brother, répéta Akira.

Cette fois, Tom comprit. Et le mystère s'épaissit encore. Une jeune fille qui cherchait son frère dans les murs d'un château hanté, avouez, il y a de quoi se poser des questions ! Il était juste coincé par cette langue anglaise avec ses mots si différents du français. Mais il n'allait pas lâcher le morceau. Il reprit, en mélangeant l'anglais et le français :

– I aide you.

– You'll what me? demanda Akira, visiblement surprise d'entendre un mot étranger.

– Aide ? répéta Tom, désolé de ne pas connaître le mot en anglais. Find your brother?

– Oh, you want to help me! s'exclama Akira en comprenant soudain. Thank you, that's very kind of you, but I don't see how you can help me if you don't speak English.

Tom ne comprit que les trois derniers mots, mais le ton de sa phrase était clair. Elle l'envoyait promener parce qu'il ne parlait pas l'anglais.

– Yes, I speak English, affirma Tom, et il pointa un doigt vers Akira. Wait here.

En quelques secondes, il était revenu avec son traducteur électronique. Il tapa : « pourquoi tu cherches ton frère dans le mur », appuya sur la touche « translate », puis lut à voix haute :

– Why are you looking for your brother in the wall?

Akira soupira.

– I can understand, insista Tom. Just speak slowly.

– Okay, dit Akira en baissant la voix. Five days ago (elle tendit cinq doigts pour signaler le nombre de jours), my brother James disappeared (elle mima son incompréhension devant une disparition). He had an argument with my Dad (elle imita deux personnes qui se disputent). When I went to my brother's room,

I found three books with some words underlined (elle fit le geste de souligner). The underlined words were about a library (elle montra la bibliothèque dans laquelle ils se trouvaient), a fireplace (elle indiqua la cheminée) and a secret passage (passage secret, comprit Tom). So I'm trying to find the secret passage. I think my brother wants me to find him, and my father refuses to say anything. If you want to help me, you're welcome.

– Yes, I want to help, dit Tom, bien décidé à retrouver le frère d'Akira à l'aide des mots qu'il avait soulignés dans ses trois livres.

– Okay, then we'll meet here tomorrow morning at ten, dit Akira. I'll bring the books, and you bring your electronic translator, and we'll try to find the secret passage.

Cette fois, quand Tom réintégra son lit, il s'endormit d'un coup.

Chapter Four

THEY'LL KILL YOU

Le lendemain matin, Tom fut réveillé par son père, qui revenait d'un jogging matinal.

– C'est l'heure du petit déjeuner, annonça-t-il. On se douche et on y va ?

Après cette courte nuit, une douche rapide aida Tom à se remettre les idées en place. Il avait hâte de retrouver Akira et d'essayer d'élucider avec elle le mystère de la disparition de James McKenzie.

Avant d'attaquer le petit déjeuner, il nota mentalement toutes les questions qu'il devrait lui poser, en commençant par : Quel âge a ton frère et quelle était la raison de la dispute entre ton père et lui ?

Mais en attendant, il se prépara à goûter à tout ce que proposait ce petit déjeuner écossais. Ça se présentait sous forme d'un buffet chaud, avec des noms devant tous les plats : « Porridge », « kippers », « oatcakes », « black pudding », « sausages », « grilled tomatoes », « fried mushrooms », « potato scones », « bacon », « fried eggs », « scrambled eggs », « potato hash », « haggis », « baked beans ». Tom regarda son père, un peu perdu.

– « Porridge », c'est une purée de flocons d'avoine que les Écossais mangent chaude, sucrée ou salée, expliqua celui-ci. Tu peux y ajouter du beurre, de la crème, du sucre ou du sel, ou même des raisins secs, au choix. Tu veux goûter ?

Tom remplit un petit bol du mélange fumant et suivit son père à la table que leur indiquait le serveur. Il plongea sa cuillère dans les flocons d'avoine et la porta à sa bouche. Le goût était étrange, à la fois doux – il avait ajouté du sucre – et salé, un peu comme du pain complet en forme de soupe. Mais la première surprise passée, il trouva ça franchement bon et termina son bol en un rien de temps.

– Alors, pour la suite, tu as le choix entre poisson (« kippers », ce sont des harengs fumés) et viande, expliqua son père en le ramenant vers le buffet. « Sausages » sont des saucisses, « black pudding », c'est du boudin noir, et « bacon », du lard salé grillé. Avec ça, tu peux prendre des œufs brouillés ou sur le plat, de la purée de pommes de terre, ou encore des galettes de pommes de terre, des tomates grillées, des champignons poêlés ou des haricots blancs à la sauce tomate. Et si vraiment tu aimes l'aventure, tu peux goûter le « haggis », qui est une préparation à base d'abats de mouton avec des épices et des flocons d'avoine, le tout cuit traditionnellement dans une panse de brebis, mais aujourd'hui préparé plutôt comme une saucisse. Ça ressemble un peu à notre « grenier médocain ».

Tom regarda l'étrange préparation avec une certaine suspicion. Peut-être que s'il n'avait pas su de quoi le « haggis » était fait, il l'aurait goûté, mais après les explications de son père, le plat ne lui inspirait pas confiance.

– Tu sais, dit son père en voyant la grimace de son fils, ce n'est pas plus dégoûtant que notre andouillette. Chaque culture a ses spécialités.

– C'est vrai, répondit Tom. Mais je ne vais pas pouvoir tout goûter aujourd'hui, alors je laisse le « haggis » pour un autre jour. Ce matin, je voudrais aller consulter les livres de la bibliothèque et, si je mange trop, je vais m'endormir.

Pour une raison qu'il ne s'expliquait pas, Tom n'avait pas envie de parler d'Akira à son père. Pas encore, en tout cas. Il goûta presque la moitié des plats proposés et, dès qu'il eut fini de petit-déjeuner, il prit la direction de la bibliothèque.

Akira l'attendait. À la lumière du jour, sa chevelure rousse était franchement flamboyante, et Tom remarqua qu'elle avait les yeux verts et la peau couverte de taches de rousseur.

Akira entraîna Tom vers une petite table en bois, et rapprocha un deuxième fauteuil.

– These are the books, she said, en montrant les trois livres devant elle.

Tom les regarda. Le premier était relié de cuir rouge et ressemblait aux autres livres dans la bibliothèque. Il s'intitulait *White Fang*, et l'auteur s'appelait Jack London. Le deuxième avait pour titre *Seven Knights* et était écrit par Brian Cox. Le troisième titre était *The Last Ghost*, et l'écrivain s'appelait Helen Stringer.

Tom sortit son traducteur électronique de sa poche. « White Fang » voulait dire « Croc Blanc », « Seven Knights », « Sept Chevaliers » et « The Last Ghost », « Le Dernier Fantôme ». Il nota les trois titres ainsi que leur traduction dans le cahier que son père lui avait offert. Puis il tapa sa première question sur le traducteur, leva les yeux vers Akira et lut à voix haute :

– How old is your brother?

– James? said Akira, surprised. He's twenty. He's studying biology at university. He wants to work in National Parks, for nature conservation.

Tom nota l'âge de James et le fait qu'il étudiait la biologie et voulait travailler pour les parcs nationaux afin de préserver la nature. Puis il reprit le traducteur et tapa sa deuxième question, concernant la dispute entre James et son père :

– What was the reason for the argument between James and your father?

Akira soupira.

– I don't know. I just heard them having an argument.

– What argument? asked Tom.

– I couldn't hear the words, said Akira. I just heard James and my father shouting.

Tom tapa « heard » et « shouting », et trouva « écouta en criant ». Ça ne voulait pas dire grand-chose, alors il ajouta le pronom personnel « I », et le traducteur afficha : « J'ai entendu crier. »

Donc Akira avait seulement entendu James et son père crier.

– And at the end, I heard my father say something like « they'll kill you ».

Tom tapa les trois derniers mots sur le traducteur et lut avec effroi : « ils te tueront ».

Chapter Five

A SWITCH OF SOME KIND

–Tiens, te voilà ! s'exclama une voix derrière Tom.

Tom referma aussitôt son carnet et le posa sur les livres.

– This is my father, he said to Akira qui se leva pour le saluer.

– Hello! said Tom's father. As Tom said, I'm his father. My name's Nicolas.

– Pleased to meet you. My name's Akira, said the young girl.

– Pleased to meet you too, Akira, said Tom's

father. That's not a very Scottish name! It sounds Japanese.

– No, it's an old Celtic name, said Akira. It means « anchor ».

– Are you staying here? he asked.

– No, said Akira, I live here. I was showing Tom some books.

– Je me demandais si tu ne voudrais pas aller à la piscine ? dit le père de Tom à son fils. Would you like to go to the swimming-pool? reprit-il en anglais pour Akira.

– Oh, I was just about to take Tom to see my pony, said Akira.

Tom comprit « Tom », « see » et « pony ». De toute évidence, Akira ne voulait pas aller à la piscine.

– You've got a pony? s'étonna le père de Tom.

– Yes, a Shetland. My father's the gardener, and we have a house next to the hotel. There's a field there, so I keep my pony in the field, said Akira. Do you like ponies?

Cette dernière question s'adressait à Tom, qui hocha la tête avec enthousiasme.

– Yes, I like ponies, he said.

Tom eut peur que son père ne propose de les accompagner, mais l'appel de la piscine fut trop fort, et Nicolas partit en recommandant à son fils d'être à l'heure pour le repas de midi.

– Do you really like ponies? demanda Akira quand le père de Tom eut quitté la pièce.

– Yes, I like ponies, said Tom.

– Can you ride?

Tom consulta son traducteur. « Ride », « monter », « monter à cheval ». Non, il ne savait pas monter à cheval. Il secoua la tête.

– It doesn't matter, said Akira. Mack is a small pony and he's very sweet. He's more like a dog than a pony.

Tom comprit que ça ne faisait rien, que le poney était petit et doux, et qu'il ressemblait à un chien.

– But the books? And the secret passage? said Tom. And your brother?

– It'll just take a few minutes, said Akira. We can come back afterwards.

Ils laissèrent les livres sur la petite table, et Tom suivit Akira dehors. Dans un champ délimité par un fil électrique, un poney noir leva la tête dès qu'il entendit le sifflement d'Akira. Il s'approcha en trottinant. Effectivement, il se comportait comme un chien !

– Hello Mack! dit Akira en sortant une petite pomme de la poche de sa veste. Here's an apple for you. Now, I'd like you to meet Tom. He's French. He'll come and ride you later, but for the moment we have to find a secret passage.

Tandis que Mack mâchouillait sa pomme, Tom caressa le museau doux et chaud du poney. Puis ils retournèrent à la bibliothèque. Ils reprirent leurs places, et Akira ouvrit *White Fang*.

– My brother left these books on his bed, said Akira. Like a sort of secret message to me.

Elle tourna les pages, puis s'arrêta.

– Look. He's underlined some words in each of the three books.

Tom regarda et vit des mots soulignés. Il ouvrit son carnet et commença à les recopier.

White Fang : « a camp on the shore of the lake » (page 40), « down the steep bank » (page 48).

– That's all for this book, said Akira.

Tom consulta son traducteur. Apparemment, il s'agissait d'un campement au bord d'un lac, en bas d'une pente raide. Cela ressemblait à des indications pour trouver un endroit précis.

– Do you know where this place is? demanda-t-il à Akira.

Elle secoua la tête.

– There are lots of lakes around here.

Ça ne les avançait pas beaucoup, donc, puisqu'il y avait plein de lacs dans le coin. Les mots soulignés dans le deuxième livre, retranscrits dans le carnet de Tom, étaient :

Seven Knights: « enter the library », « a sword displayed over the doorway », and « acts as a lever and opens the back wall near the fireplace » (page 123).

« Entre dans la bibliothèque », « une épée accrochée au-dessus de la porte sert de levier » et « ouvre le mur du fond près de la cheminée ».

Tom regarda au-dessus de la porte, mais aucune épée n'y était accrochée. Akira lui tendit le troisième livre. *The Last Ghost*: « if we're looking for a secret passage, the door will open with a switch of some kind » (page 54).

« Si nous cherchons un passage secret, la porte s'ouvrira avec une espèce d'interrupteur. » Akira le regardait avec espoir. Tom chercha l'anglais pour « indices ».

– These words are clues, he said.

– I know. But I can't find the secret passage, she said. I'm sure it will lead to James.

– The third book says the door will open with a switch, said Tom.

– Yes, you're right. But I've tried the switches, and they don't work.

– Let's try again, said Tom.

Ils firent le tour de la bibliothèque en allumant et en éteignant tous les interrupteurs possibles, mais le mur près de la cheminée ne bougea pas.

– It must be a secret switch, said Tom. We must find the secret switch. But now I must find my father.

En effet, il avait rendez-vous pour déjeuner avec son père.

Chapter Six

RIDING A PONY

S ans avoir résolu l'énigme, Tom retrouva
son père en pleine forme et prêt à goûter
de nouveaux plats écossais. Ils mangèrent de
la truite fumée («smoked trout») avec des
pommes de terre rôties («roast potatoes»),
puis du canard à l'orange («duck in orange
sauce») accompagné de poireaux («leeks»)
et de pommes cuites («stewed apples»), le
tout suivi d'une tourte aux pommes avec de la
crème et de la glace («apple pie with cream and
ice-cream»).

Un énorme sapin était installé dans la salle

du restaurant, et on sentait que Noël arrivait à grands pas.

– Dans les pays anglophones, expliqua son père en sirotant son café, Noël est bien plus important que chez nous. Sans doute parce qu'aux États-Unis, au Canada et en Écosse, il fait tellement froid l'hiver que les gens ont vraiment besoin d'une bonne fête en plein milieu pour tenir le coup jusqu'au printemps.

Tom hocha la tête. Il n'avait écouté son père que d'une oreille. Il réfléchissait surtout à la question de l'interrupteur dans la bibliothèque, cet interrupteur qui leur dévoilerait le passage secret. Où pouvait-il bien se trouver ?

– Alors, tu es allé voir le poney d'Akira ? demanda son père au bout d'un long silence. C'est le petit Shetland que j'ai vu en faisant mon jogging ? Tout noir, poil long ?

– Oui, c'est lui, confirma Tom. Akira va me le faire monter. D'ailleurs, ajouta-t-il en regardant sa montre, il faut que j'y aille.

Tom ne comprenait pas bien pourquoi il n'avait pas raconté à son père la disparition de James et l'énigme des phrases soulignées, mais c'était ainsi. Peut-être craignait-il que son père résolve le mystère de l'interrupteur et le prive d'une victoire devant Akira. Peut-être ne voulait-il pas que l'affaire leur échappe en passant dans le monde des adultes. Ou peut-être ne voulait-il simplement pas ennuyer son père avec un sujet qui risquait de l'inquiéter, d'autant plus que le père d'Akira refusait d'aborder le sujet avec sa fille.

Il enfila son blouson, coiffa son bonnet, enroula son écharpe autour du cou, mit ses gants et sortit rejoindre Akira. À présent, Mack avait une selle et un filet. La jeune fille montra à Tom comment le monter.

– You put your left foot (elle lui montra son pied gauche) in the stirrup (elle désigna l'étrier) like this (elle plaça son pied gauche dans l'étrier) while you hold onto the reins with your left hand (elle montra qu'elle tenait les rênes sur l'encolure de Mack avec sa main gauche), and the saddle with your right (elle posa l'autre main sur la selle et l'agrippa). Then you pull yourself up into the stirrup like this (et elle se hissa pour se retrouver debout dans l'étrier gauche). You swing your right leg over the saddle (elle fit passer sa jambe droite par-dessus la selle) and you sit down (elle s'assit). Then you put your right foot into the right stirrup, and you're ready to go (elle mit le pied droit dans l'étrier de droite). Okay? Want to try?

Ça semblait facile, expliqué comme ça. Akira descendit du poney et tendit les rênes à Tom.

– Your turn.

C'était donc à son tour. Tom suivit les instructions d'Akira point par point. Il se sentait plutôt fier, là-haut (même si le poney n'était pas très grand).

– Okay, said Akira. Now you switch the reins into your other hand and you pat Mack's neck to thank him for standing still while you mounted.

Tom n'essaya même pas de comprendre les ordres. Il bloqua sur le quatrième mot prononcé par la jeune fille. Comme il n'y avait aucun interrupteur sur le poney, il se dit que le mot « switch » devait avoir d'autres significations.

– What did you say? demanda-t-il.

Akira recommença sa phrase.

– You switch the reins...

– Stop! Switch. You said « switch ».

Akira sembla surprise.

– Yes, I said « switch ». Verb « to switch ». I switch, you switch, we switch. It means to change or to exchange something.

– Your brother underlined « switch » in *The Last Ghost*, said Tom.

– I know he did, said Akira.

Tom chercha ses mots. Il ne pouvait pas sortir son traducteur électronique alors qu'il était perché sur le dos d'un poney, en train de passer les rênes d'une main dans l'autre.

– Maybe « switch » is something different, he said.

– What do you mean? said Akira en fronçant les sourcils.

Il voulait dire qu'ils avaient peut-être cherché la mauvaise signification du mot, mais comment l'expliquer en anglais ?

– You say « switch » means to change or exchange something, said Tom. Maybe if we change or exchange something in the library, we can open the secret door.

– Maybe we should go back and look, said Akira. Come on!

Elle commença à s'éloigner, en laissant Tom sur le dos du poney.

– Wait! he shouted.

Comment disait-on « descendre » ?

– I must... descendre, he said.

– Oh yes, of course, you want to get down, said Akira.

Elle lui enleva les deux pieds des étriers.

—Lean forward (elle se pencha en avant). Hold onto the saddle (elle lui montra le pommeau de la selle), swing your right leg back over

56

(elle lui fit passer la jambe droite par-dessus la selle) and slide down to the ground (et elle l'aida à glisser jusqu'au sol). We'll be back in a few minutes, Mack, she said to the pony. Wait for us!

Puis elle se mit à courir en direction du château, et Tom suivit. Son premier cours d'équitation n'avait pas été bien long !

Chapter Seven

THE SECRET PASSAGE

Tom fut soulagé de constater que la bibliothèque était toujours déserte. Ils allaient
pouvoir chercher sans être dérangés. Mais par
où commencer? Akira semblait se poser la
même question.

– What are we looking for? she asked.

Tom réfléchit. Que cherchaient-ils? Deux
choses à échanger, sans doute deux objets de
poids similaires. Quand il était à l'école primaire,
il avait été passionné par le Moyen Âge, et son
instituteur lui avait expliqué que les hommes du
Moyen Âge avaient compris comment soulever

des poids avec une poulie ou un levier. Le texte de *Seven Knights* parlait d'un levier. Sans doute fallait-il échanger deux objets pour faire fonctionner un levier. Comment dire ça à Akira ? Il reprit le début de la phrase de la jeune fille, puis s'aida au moyen de son traducteur.

– We're looking for two objects of similar weight. When you switch them, the lever works, he said.

Akira hocha la tête.

– I understand. What sort of object ?

Tom haussa les épaules. Ça pouvait être n'importe quoi.

– I don't know, he said. Something heavy.

Ils regardèrent autour de la bibliothèque. Comme objets lourds, il y avait les meubles, les tables et les chaises, et puis les bûches.

– Maybe we should start with the logs, suggested Akira.

Pendant dix minutes, ils changèrent de place les bûches empilées à côté de la cheminée, mais aucun passage secret ne s'ouvrit.

– It can't be the furniture, said Akira. People would notice if it was moved.

Et Akira avait raison : bouger les meubles serait trop voyant.

Soudain Tom se frappa le front.

– Que je suis bête !

– What? asked Akira.

– I'm silly, said Tom. The books. Books are heavy. It must be books.

– You're right! exclaimed Akira. In *Seven Knights*, they move two books to open the secret door.

Elle n'aurait pas pu le dire avant ? Tom la regarda d'un air dépité, mais Akira était déjà partie vers les rayons de livres.

– In the story, they notice one book that isn't in the right place, said Akira. And when they exchange it with the other book, that isn't in the right place either, the door opens.

Tom réfléchit. Sans doute le livre *White Fang*, qui venait de la même bibliothèque, était-il un nouvel indice laissé par James McKenzie.

Un autre livre du même auteur, peut-être ? Comment s'appelait-il déjà ? Il sortit son carnet et regarda ses notes, puis se dirigea vers la lettre L. Au milieu des livres de Jack London, il y avait *The Hound of the Baskervilles* d'Arthur Conan Doyle. Tom prit le livre et alla regarder à la lettre D où il trouva, comme prévu, un livre de Jack London, *The Call of the Wild*. Il remit le livre de Conan Doyle en place. Il ne se passa rien. Mais lorsqu'il rangea le livre de London à côté des autres, un léger grincement se fit entendre et le mur à gauche de la cheminée s'effaça pour révéler une ouverture sombre.

Tom et Akira se regardèrent, puis Akira s'engouffra dans l'ouverture.

– Come on, Tom, let's see where it goes !

Tom la suivit, mais il ne voulait pas laisser la porte ouverte et risquer que quelqu'un les suive. Éclairant l'ouverture à l'aide de l'écran de son traducteur électronique, il chercha un autre levier. En effet, sur le mur de gauche, une sorte d'épée était accrochée de travers. Tom la redressa, et la porte se mit à bouger et se referma avec un clic.

Akira avait commencé à descendre les marches de l'escalier qui se présentait devant eux. Tom lui emboîta le pas à la faible lueur de son traducteur.

L'escalier s'enfonçait dans les profondeurs du château, et Akira et Tom le suivirent.

Soudain, les marches s'arrêtèrent et un long couloir s'ouvrit devant eux. Ils accélérèrent le pas. Finalement, Akira s'écria :

— Look! There's a light at the end of the tunnel. We're coming out into the open!

Elle se mit à courir, et Tom l'imita, heureux de quitter le souterrain obscur.

Ils débouchèrent derrière un rideau de verdure, sur une petite plage au bord d'un lac entouré d'arbres. Un vent glacial soufflait, soulevant de petites vaguelettes sur la surface de l'eau, et Tom sentit comme une caresse froide sur sa joue. En regardant autour de lui, il se rendit compte qu'il neigeait ; de tout petits flocons blancs emportés par le vent.

Akira aussi regardait autour d'elle.

– It's snowing, she remarked.

– Yes, it's snowing, said Tom.

– Where do we go now? demanda Akira.

Tom ne savait pas, mais il se dit que James les avait guidés jusqu'ici, et que les indices donnés par les livres devaient les aider.

– We must understand the clues, he said.

– Yes, of course, said Akira.

Tom sortit son carnet, et l'ouvrit.

– Look! he said to Akira. « A camp on the shore of the lake », « down the steep bank ». We must find a camp on the shore and a steep bank.

– Over there, said Akira. Look, there's a bank.

De l'autre côté du lac, ils apercevaient comme des falaises. Il fallait traverser un petit bois pour les rejoindre.

– Come on! said Tom. Let's go.

Chapter Eight

LOST BY THE LAKE

Ils marchèrent pendant un bon quart d'heure. La forêt devenait de plus en plus dense et sombre, mais au moins la végétation les protégeait en partie de la neige qui tombait avec une énergie renouvelée. Finalement, ils retrouvèrent la rive. Il n'était que quatre heures, mais la lumière déclinait rapidement, et Tom avait froid. Il voulait rentrer à l'hôtel.

– Let's go back to the hotel, he said to Akira. We can come again tomorrow morning.

Akira scrutait la pénombre.

– James can't be far now, she said.

– Yes, but we can't see anything. We must go back.

– But it's too dark, said Akira. I don't know the way back.

Tom sortit son traducteur et tapa « way ». « Voie, chemin, méthode ». Elle ne connaissait pas le chemin de retour ? Logiquement, elle aurait dû savoir où ils étaient. C'était elle qui habitait ici.

– We're lost? asked Tom with the help of the translator.

– Yes, we're lost, said Akira. But I know somebody who can help us. Mack will find us.

Elle mit ses doigts dans sa bouche et siffla longuement. Tom la regarda faire, incrédule. Il avait reconnu le sifflement qu'elle utilisait pour appeler Mack, mais ils étaient loin du château à présent. Sans oublier le fait que Mack était enfermé dans un pré entouré d'un fil électrique ! Si Akira comptait sur Mack pour les sauver, ils allaient mourir gelés !

Il secoua la tête, s'empara du traducteur, et se mit à exposer la situation :

— Akira, we're too far from the castle. Mack won't hear us. And he's shut in a field with electricity round him.

Akira secoua la tête.

— We don't switch on the electricity. Mack can jump over the fence.

Tom tapa les quatre derniers mots sur son traducteur. « Sauter par-dessus la barrière ».

Akira émit un nouveau sifflement, plus long et plus fort que le premier.

Tom tendit l'oreille en espérant entendre les sabots du poney, mais seuls répondirent le souffle du vent et l'écho du sifflement.

— Let's walk, said Tom. It's too cold to wait here.

— Yes, you're right, said Akira. We must keep moving and find a shelter.

Tom regarda le mot « shelter » : abri. Puis il rangea son traducteur. Il avait trop froid aux doigts pour se passer de ses gants. Il prit la main d'Akira dans la sienne, et ils suivirent le bord du lac. Il faisait nuit à présent. De temps en temps, Akira remettait ses doigts dans sa bouche et sifflait.

– Sound carries over water, she said. If we're not too far from the castle, Mack will hear us.

Mais Tom aurait juré que ses sifflements devenaient progressivement moins forts et moins longs, comme si elle-même n'y croyait plus.

La neige avait déjà recouvert le sol d'une couche cristalline, et leurs chaussures cris-saient à chaque pas. Tom n'essayait même plus de regarder devant lui, mais se contentait de suivre le bord de l'eau sur lequel la neige ne tenait pas encore. Il s'était rarement senti aussi malheureux de sa vie. Il connaissait les dangers de la neige. Chaque fois qu'ils partaient aux sports d'hiver, son père lui faisait la leçon. Ne jamais quitter la piste. Ne jamais se promener loin de l'hôtel. Ne jamais sortir à la tombée de la nuit.

– La neige change tout, disait son père. Les paysages ne sont plus les mêmes, on perd ses repères et on ne sait jamais ce qu'on a sous les pieds ; du rocher solide ou une mince couche de glace sur la surface d'un lac.

Soudain, Akira poussa un cri et lui lâcha la main. Tom releva les yeux. En l'espace d'un instant, son désespoir se transforma en joie. Mack était là ! Le poney les avait retrouvés !

– I told you he'd find us! shouted Akira. You're wonderful, Mack! You're a wonderful pony! We thought we were lost, but here you are, and we can go home.

– Thank you Mack, said Tom en entourant de ses bras l'encolure du poney. Thank you for finding us.

Aussitôt, ils se mirent à suivre les traces laissées par Mack dans la neige, de manière à retrouver le château. Mais les traces s'effaçaient très vite, et la neige les empêchait d'avancer. Au bout de quelques minutes, Akira s'arrêta.

Sa voix tremblait, et Tom eut l'impression qu'elle allait pleurer.

– The snow's too thick, she said. Even Mack can't go on in this. We'll have to find a shelter and wait for the snow to stop.

Chapter Nine

THE GHOST WHISTLE

– If we can find the bank, said Akira, we can take shelter from the snow. Come on, let's move away from this lake.

Mais, lorsqu'on s'éloignait du lac, il y avait encore moins de lumière. Ils avançaient de plus en plus lentement. La neige leur arrivait presque aux genoux, et les flocons étaient de plus en plus gros.

– We must find a shelter, soupira Akira. The snow is thicker and thicker.

Puis elle siffla de nouveau.

– Why do you whistle? asked Tom. Mack is here.

– I didn't whistle, said Akira.

– I heard you whistle, said Tom. It wasn't a ghost!

Soudain, ils entendirent un nouveau sifflement, et Mack bifurqua pour prendre la direction du son.

– James! s'écria Akira avec un grand sourire. Mack has found James.

Avec un regain d'énergie, les deux jeunes suivirent le poney. Très vite, ils arrivèrent devant une falaise dans laquelle étaient creusées des grottes naturelles. Un homme à la stature imposante – James était aussi grand et fort que son père – se tenait devant l'entrée d'une des grottes. Il caressait la tête de Mack et ouvrit les bras en apercevant Akira.

– Akira! You found me! he said.

– I didn't find you, said Akira. Mack did. And Tom, too. James, this is my friend Tom. He's staying at the hotel. He's French.

Tom serra la main de James. Il était content qu'Akira le présente comme son ami.

– It was Tom who found the two books to switch and opened the secret door in the library, said Akira. But then it got too dark to see, and the snow was falling thicker and thicker, and we were lost.

– I heard you whistle for Mack, said James. So I whistled too.

– But what are you doing here? asked Akira. Why did you disappear?

– Come into the cave and we'll talk, said James. I can make a fire, and I've got biscuits to eat. You must be very cold and hungry. Mack too.

So they went into the cave with the pony and James gave Mack some sugar. Puis il fit du feu, et alla chercher des paquets de biscuits au fond de la grotte.

– Here, this is for you, said James.

He gave a packet of biscuits to Tom.

– How old are you, Tom?

– Eleven, said Tom.

– And you're French?

– Yes, said Tom. I live in Bordeaux, in France. There is no snow in Bordeaux, he added.

– Well, I'm very pleased to meet you, Tom, said James. Thank you for helping my sister find me.

– Pleased to meet you too, James, said Tom.

– James, what happened with you and Dad? asked Akira. Why are you staying here in this cave? Why did you leave me clues and not say anything?

James fronça les sourcils.

– Dad made me promise not to say a word to you, he said, so I didn't. But I left you clues so you could find me. I need you to help me.

Tom comprit que James avait promis de ne pas dire un mot à sa sœur, et qu'il avait donc laissé des indices. Mais cela n'expliquait pas la dispute avec son père ni son départ précipité.

– But why did you leave? Akira insisted.

– Do you remember that River Castle was sold to an Englishman? James asked.

Grâce au feu et aux biscuits, les doigts de Tom allaient mieux. Il prit son traducteur afin de mieux suivre les explications de James, qui parlait d'un château vendu à un Anglais.

Akira nodded.

– Well, I had found some dead animals in the forest, said James. All sorts of animals, just killed for the fun and left there. Somebody was killing animals that are protected.

« Dead », « mort », « killed », « tué », « protected », « protégé ». James trouvait des animaux morts dans la forêt, et quelqu'un tuait ces animaux protégés, sans doute cet Anglais.

– It had to be that William Tate from River Castle, poursuivit James. But when I told Dad I was going to report him to the police, Dad said that I had no proof, and that Tate is rich and powerful. He told me to forget the whole thing.

James avait dit à son père qu'il avait l'intention d'aller à la police, et son père avait dit qu'il n'avait aucune preuve et que William Tate était un homme puissant. Il avait conseillé à son fils d'oublier toute l'affaire.

– But I can't just forget. These men are killing our wild animals. Dad said they'd kill me if I reported them to the police, but there are laws in Scotland. You can't hunt animals just as you please, and you can't hunt whenever you feel like it. These men are hunting protected animals, they aren't respecting our laws.

Tom essaya de suivre. Il avait compris qu'il était question de chasse (« hunt ») et de lois (« laws »), donc de chasse illégale, et que ces hommes allaient probablement tuer James s'il les dénonçait à la police.

– So I borrowed some video cameras from university to film them, said James. I hide in trees or bushes, and I film them hunting with illegal guns and at illegal times. And I take the dead animals and hide them in the caves as proof. Mr William Tate and his friends may be powerful, but they still have to respect the law. And when the police discover that they kill animals, they will prosecute them. I need you to take the memory cards from the cameras to the police.

Des caméras vidéo ? Obéir à des lois ? Traduire en justice ? Tom avait l'impression que James agissait comme l'aurait fait un policier. Il avait donc filmé les coupables en flagrant délit. Et il avait laissé des indices afin qu'Akira puisse le retrouver et rapporter les cartes mémoire à la police. Tom avait peur, mais il avait surtout envie d'aider James à protéger les animaux sauvages.

Chapter Ten

LIGHTS IN THE SNOW

Ce fut James qui rompit le silence pour les ramener au présent :

– Anyway, right now the priority is to get you both back to the castle. Dad will be worried about you, Akira, and I'm sure Tom's father will be worried about him. We have to go back to the secret passage that leads to the library.

Tom tapa « worried » et trouva « inquiet ». En effet son père – sans parler de celui d'Akira – serait fou d'inquiétude. Mais il faisait nuit, il y avait une tempête de neige dehors, pas exactement les conditions idéales pour une balade en forêt.

– But it's still snowing, said Akira, comme si elle avait lu dans ses pensées.

– I know, but you can't stay here all night. People will be worried, said James. Come on. Now that you've had something to eat, and you're warmer, we can go back to the castle.

Là, Tom comprit. « Something to eat » voulait dire « quelque chose à manger », et « warmer », « plus chaud ». Il avait remarqué aussi que quand il y avait le mot « back » dans une phrase, cela indiquait un retour. Donc James avait dit qu'à présent (« now ») qu'ils avaient eu à manger et qu'ils s'étaient réchauffés, ils pouvaient retourner au château. Il se leva et referma son blouson.

– Let's go! he said.

James éteignit le feu, et ils ressortirent de la grotte. Dehors, les conditions étaient, si possible, encore pires. La neige leur arrivait à présent presque aux cuisses, et continuait de tomber. Akira essaya de réconforter son poney.

– Come on, Mack. One more effort and you'll be back in your warm stable.

Tom remit son bonnet et ses gants tandis que James disait à Akira :

– You ride Mack. Tom and I will walk next to you.

They started walking. Tom gardait les yeux baissés pour ne pas être aveuglé par les flocons de neige mais, en relevant la tête au bout d'un moment, il eut l'impression de voir des lumières au loin. Il tira sur le bras de James.

– Look! Lights. Maybe your father is looking for us.

– No, that's impossible, said James. I never told Dad where the men were hunting. He wasn't interested.

Le ton de James était très amer, et Tom, sans tout comprendre, saisit le sens des paroles plus par intuition qu'autre chose. Le père de James et Akira ne savait pas où était son fils parce que ça ne l'intéressait pas d'apprendre où chassait

85

William Tate. Tom ne pouvait qu'imaginer la déception ressentie par James.

Au loin, les lumières brillèrent de nouveau, et James s'immobilisa.

– It's them, he said. It's William Tate and his friends. And they're blocking the way to the secret passage.

Tom frissonna. Les chasseurs leur bloquaient la route vers le passage secret.

– Then let's go another way, said Akira. Mack didn't use the secret passage to come here, so let's go the way Mack came.

Soudain Tom crut voir deux silhouettes se détacher au bord du lac.

– We can ask these people for help, dit-il en les montrant.

– What people? said James.

Tom regarda vers le lac, mais les silhouettes avaient disparu.

– Snow often makes you think you see things, said James. That's why the Scots believe in ghosts. Because we have lots of snow. But ghosts don't exist. Come on. We must climb up the bank here. This is the way Mack came.

He moved to the bank and they began to climb up.

Mack négocia la montée sans trop de problèmes, et James aida Tom à progresser. Enfin, ils arrivèrent tous en haut de la pente. La neige était moins épaisse ici, grâce aux arbres. Ils se retournèrent pour regarder derrière eux.

Les lumières de William Tate et ses amis s'étaient nettement rapprochées.

– They have seen us! Tom said to James.

– That's bad news, said James. They mustn't catch us. They nearly caught me yesterday. They know I'm here, and they destroyed one of my cameras. If they catch us, I don't know what they'll do. Maybe Dad was right. Maybe they will kill me.

Chapter Eleven

THE HUNT IS ON

—Quick! James decided. We have to separate. Akira, you ride to the castle as fast as you can. Get the manager to call the police. Now go!

Il mit une claque sur la croupe du poney, et Mack s'élança au galop. En le regardant partir, Tom eut vraiment l'impression qu'il savait où il allait.

— Now Tom, listen to me, said James. We're going to act as a decoy. Do you know what a decoy is?

— No, said Tom.

– It's the opposite to a clue, said James. A clue helps you understand a situation. But we don't want Bill Tate and his men to understand that Akira is riding to the castle. Okay?

Tom nodded. En effet, William Tate ne devait pas comprendre qu'Akira allait au château, sinon il la poursuivrait.

– So we have to hide her tracks, said James.

Il cassa deux branches d'un buisson proche et en tendit une à Tom.

– You brush the branch over the tracks like this, he said.

James se mit à marcher à reculons tout en brossant la neige pour effacer les traces de Mack, et Tom l'imita. La neige tombait si vite que c'était comme si personne n'était passé par là.

– And now, said James, we take a different direction, but we don't hide our tracks. On the contrary, we shout to each other to make sure they can hear us and will follow us.

James le précéda vers la droite, là où la forêt empêchait la neige de recouvrir le sol de la même manière, et Tom le suivit.

– Tom! demanda James en criant aussi fort que possible. Where are you?

– I'm here! shouted Tom.

– Hurry up! shouted James.

Then he said softly:

– That's perfect.

Tom followed James in the snow. James walked quickly and Tom had to run.

– Tom! shouted James. Can you see me?

– No! shouted Tom although he was right next to James. Where are you?

– I'm under the trees! Hurry up! shouted James.

Tom courait pour rester aux côtés du frère d'Akira. Quand ils marquèrent une pause afin que James puisse se repérer, Tom était à bout de souffle. Il écouta. Il lui semblait entendre les hommes derrière eux.

– I can hear the men, he said to James.

– I know, said James. Don't worry. I have a place where we can hide.

Le vent soufflait de plus en plus fort, et les arbres donnaient l'impression de danser autour d'eux comme des fantômes. Tom était venu en Écosse pour voir des fantômes, mais à présent il était terrorisé par des hommes en chair et en os.

– Here we are, said James. Get down on your hands and knees. Put your head down.

Tom se mit à quatre pattes et baissa la tête pour passer au milieu d'un amas de buissons et de ronces. James montra où il avait creusé un trou pour se cacher.

– I've dug a hole here to hide in. I've got another camera here to film Tate and his friends.

The hole was small, but James and Tom were protected from the wind and the snow. James switched his camera on to film the men as they came to hunt them.

– Now we have to be quiet and hope that the police get here quickly, said James.

Tom se tut et, aussitôt, il entendit des voix. C'était terrifiant. Une exclamation toute proche le fit sursauter.

– Bill! I've found them! They're here! Okay, come out!

— You can't stay in there forever! said a second voice. All we have to do is wait.

Tom was trembling. William et ses hommes allaient rester là jusqu'à ce qu'ils finissent par sortir. James put his arm around him, and Tom felt better.

Mais soudain, il entendit d'autres bruits dehors, des bruits de moteurs, d'hélicoptères, et il eut l'impression qu'il faisait jour. Puis une voix amplifiée ordonna :

— This is Assistant Chief Constable Malcolm Graham of Police Scotland speaking. Put your weapons on the ground and your hands in the air. Move away from the bushes immediately or we'll shoot.

Aucun coup de feu ne retentit. Tom se dit que les hommes avaient dû obéir.

Chapter Twelve

GHOSTS DON'T EXIST

— Well, what an adventure! the hotel manager said to Tom. Much more exciting than a haunted castle, eh Tom?

— Yes, said Tom. Now that it's finished...

— There's a policeman here, said the hotel manager. He'd like to ask you some questions. Do you want your father to translate?

— No, it's okay, said Tom. I can understand.

The hotel manager opened the door of the library and a policeman came in. He was tall with red hair and brown eyes.

– I'm Assistant Chief Constable Malcolm Graham of Police Scotland, he said slowly.

– Pleased to meet you, answered Tom.

– Are you feeling better, Tom? asked the policeman.

– Yes, said Tom. I'm warmer.

– Good, said the policeman with a smile. Now, can you tell me what happened?

– Yes, said Tom. Yesterday evening, I heard scratching in my room. I thought it was a ghost, but when I came here, I saw Akira. She was looking for a secret passage.

– A secret passage?

– Yes, because her brother had disappeared and he left her books with words underlined.

– And the words underlined indicated the library and a secret door? asked the policeman.

– Yes, said Tom. Look.

He took out his notebook and showed it to Assistant Chief Constable Graham. The policeman studied the notebook with the underlined words.

– I understand, he said.

– Akira was looking for a switch, said Tom. But today I understood we had to switch books. Like this.

He switched the Jack London book with *The Hound of the Baskervilles*, and the secret door near the fireplace opened.

– So we went down the stairs, he said, and along a passage that ended by a lake.

– And then what did you do?

– We looked for James, said Tom. But it was dark and snowing, and we were lost.

The policeman nodded.

– Then Akira whistled for Mack, her pony, and he arrived and we looked for shelter.

– And then?

– Then James whistled and Mack led us to James, said Tom. And James said we must come back to the castle because my father will be worried.

The policeman nodded again.

– And then we saw the lights from William Tate and his friends from River Castle, said Tom. They followed us and they said they would wait for us to come out.

– We're going to need you as a witness, said Chief Constable Graham.

– What's a witness? asked Tom.

– A witness is somebody who sees a crime, and who tells a judge in a court of law what he saw, said the policeman. We'd like you to tell a judge everything you just told me.

– I can be a witness, said Tom. I can study English every day and be a good witness.

– Your English is very good, said the policeman. Akira must have helped you.

– Yes, said Tom. Akira... and this.

He took the electronic translator out of his pocket.

– Well! said the policeman. That's handy! I'll have to get one of those when I go to France on holiday.

Then Assistant Chief Constable Graham stood up and said goodbye. Tom's father came into the library and went to look at the secret door by the fireplace and the stairs leading to the secret passage. He was very impressed.

Akira came in, with James and Mr McKenzie. The hotel manager invited them all to dinner in a private dining room.

– Where's Mack? Tom asked Akira.

– In his stable with a plaid blanket to keep him warm, she answered. Thank you, Tom, for helping me find James.

– And thank you, Tom, for helping me stop those horrible men from killing wild animals, said James.

– But Tom, said Mr McKenzie, Akira and James's father. There's one thing that worries me. When you were by the lake, you didn't see the ghost of Shona McAlistair or the ghosts of the children, Miles and Flora?

– I saw two people, said Tom. But James said it was just the snow. James said ghosts don't exist.

– Don't exist? said Mr McKenzie. Of course they exist! That's why this is a haunted castle! Because it has ghosts!

After dinner, Tom was tired. He went back to his room and put on his pyjamas. Then he got into bed and switched off the light. Suddenly, he saw something. In the corner of the room, was a girl with red hair, like Akira.

– Akira? he said.

The girl didn't answer. She didn't move.

– Akira, don't frighten me, said Tom.

The girl still didn't move.

– Flora? whispered Tom. Is that you, Flora?

The ghost smiled and disappeared.

L'auteur

Stéphanie Benson est née à Londres en 1959. Arrivée en France en 1981, elle publie son premier roman pour adultes en 1995, puis se lance dans le roman policier jeunesse aux éditions Syros (*L'Inconnue dans la maison*, *La Disparue de la 6ᵉ B*, *Une Épine dans le pied*, *Shooting Star*...).

Aujourd'hui auteur de plus de quarante romans pour petits et grands (dont la série *Epicur* au Seuil), elle écrit également des nouvelles, de la poésie, ainsi que des pièces de théâtre dont des pièces radiophoniques pour France Inter et France Culture.

Parallèlement à sa vie d'auteur, elle est Maître de Conférences en anglais et didactique à l'Université Bordeaux-Montaigne.

Tip 😊 TONGUE

Des romans en **français** qui passent petit à petit en **anglais**, en **allemand** ou en **espagnol**.

PARTEZ EN VOYAGE AVEC LES HÉROS DES ROMANS TIP TONGUE !

Tip
TONGUE

A1 INTRODUCTIF / DÈS LE CE2-CM1

● ANGLAIS

Jeanne et le London Mystery
CLAUDINE AUBRUN ET STÉPHANIE BENSON
LONDRES (Angleterre)

Florimond à la recherche du Oxford Treasure
YVES GREVET
OXFORD (Angleterre)

Blanche-Neige et la Magic Frog
STÉPHANIE BENSON

Boucles d'Or et les Strange Bears
STÉPHANIE BENSON

Valentin et les Scottish Secret Agents
CLAUDINE AUBRUN ET STÉPHANIE BENSON
ÉDIMBOURG (Écosse)

A1 DÉCOUVERTE / DÈS LE CM2-6ᵉ

● ANGLAIS

Hannah et le trésor du Dangerous Elf
STÉPHANIE BENSON
DERRY (Irlande)

Tom et le secret du Haunted Castle
STÉPHANIE BENSON
AIRTH (Écosse)

Noah et l'énigme du Ghost Train
STÉPHANIE BENSON
DUBLIN (Irlande)

Qui a vu le Phantom of the Opera?
CARINA ROZENFELD
SYDNEY (Australie)

● ALLEMAND

Martin et la Mysteriöse Kreatur
ROLAND FUENTÈS
MITTENWALD, HEIDELBERG (Allemagne)

Des romans en **français** qui passent petit à petit en **anglais**, en **allemand** ou en **espagnol**.

PARTEZ EN VOYAGE AVEC LES HÉROS DES ROMANS TIP TONGUE !

A2 INTERMÉDIAIRE / DÈS LA 5e-4e

● ANGLAIS

Peter et le mystère du Headless Man
STÉPHANIE BENSON
`SAINT STEPHEN (Angleterre)`

Lilith et la vengeance du Dark Magician
STÉPHANIE BENSON
`LONDRES (Angleterre)`

Alex et le rêve de la New York Star
STÉPHANIE BENSON ET JAKE LAMAR
`NEW YORK (États-Unis)`

Hélène et les Disappearing Gamers
NICOLAS LABARRE
`PARIS (France)`

Lucas et la Chick Team
MAÏTÉ BERNARD
`NASHVILLE (États-Unis)`

● ALLEMAND

Emma et la japanische Mangaka
ISABELLE COLLOMBAT
`LEIPZIG (Allemagne)`

● ESPAGNOL

Benoît et la bande de los Moteros
MAÏTÉ BERNARD
`IBIZA (Espagne)`

Je suis un verdadero Argentino !
LAURENCE SCHAACK
`BUENOS AIRES (Argentine)`

B1 SEUIL / DÈS LA 3e-2nde

● ANGLAIS

Hidden Agenda
CHRISTOPHE LAMBERT ET SAM VANSTEEN
`SAN FRANCISCO (États-Unis)`

La traversée du Time Tunnel
STÉPHANIE BENSON
`EPSOM (Angleterre)`

Loi n° 49-956 du 16 juillet 1949
sur les publications destinées à la jeunesse,
modifiée par la loi n° 2011-525 du 17 mai 2011.

Mise en pages : DV Arts Graphiques à La Rochelle
N° éditeur : 10244062   Dépôt légal : mai 2014
Achevé d imprimer en février 2018
par Jouve (53100, Mayenne, France).
N° 2690292R